Concepción editorial: Mex Sense S.A. de C.V. - Mex Servicios S.C.
Fotografías: Claude Vogel Thetion
Excepto: p. 81, Taketomo Shiratori; p.98 anónimo
Director artístico: Celia Vazquez Ovando
Producción: Bastien Boucard Vazquez
Ejecutivo de ventas: Vladimir Heinecke Rodríguez
Diseño gráfico: Viviana A. Carrillo y Carrillo
Víctor Manuel Higuera Ruiz
Juan Hernández Urusquieta
Texto introductorio: Emily Hughey
Traducción: Alexa Zaffagni
Recopilación y traducción de acotaciones poéticas: María Eugenia Ortega
Administración: Laura Flores Quintana
Diana Monserrat Meza
Adriana Alvarez Gallegos
Asistente fotógrafo: Carlos D. Mendez Rodríguez
Estilista: Angie Castro Boucard

Segunda edición: 2006 (5000 ejemplares)

Madero #1125 La Paz, B.C.S. 23000 www.mexsense.net
ISBN: 970 - 9716 - 00 - X
Impreso en Hong Kong por Toppan Printing

Agradecimientos: Don Claudio, Carlos Van Wormer Ruiz, Roberto Van Wormer Ruiz, Juan Diaz Rivera, Everett Clifford Nickerson, Octavio Zarabia, Silvie Dumas...

EARLY LOS CABOS

Despite Baja's prehistoric geographical history, Los Cabos' record of human life dates back just 550 years. Los Cabos' first inhabitants were the Pericues, Indians of Polynesian decent, who lived in small tribes and made grass shelters by the fresh water estuary in present-day San José. They lived simple lives as hunter-gatherers wearing little or no clothing until Jesuit missionaries arrived to build the Misión Estero de las Palmas de San José del Cabo Añuití in 1730.

As with many such conquests throughout North America, the missionaries were not welcome among the Pericues, and history reveals the brutal killing of at least one of the Spanish missionaries. It's no surprise the Pericues were unfriendly to visitors, considering that generations of the tribe were frequented by visits from pirates returning from their Atlantic crossings. Legend says that Cabo San Lucas Bay was a haven for pirates, namely Thomas Cavendish, centuries ago. According to the legend, the pirates used the Arch as a lookout for passing ships, and those who stayed behind became fisherman.

TOURISM TRANSFORMATION

Today's locals are friendlier than the original Pericue inhabitants. Subsequent missionaries, fishermen and travelers settled in Los Cabos for its excellent fishing, beautiful landscape and impeccable weather. In the 1950s, word spread about this charming seaside getaway, and the likes of Bing Crosby, Jean Harlow and John Wayne made their way to Los Cabos in private aircrafts, the only way to get there at the time. Until the 1960s and 1970s, Cabo San Lucas was a little fishing village with a fish cannery;

LOS CABOS Y SU HISTORIA

A pesar de la historia geográfica y prehistórica de Baja, los vestigios de vida humana en Los Cabos se remontan a tan sólo 550 años. Los primeros habitantes de Los Cabos eran los Pericúes, Indios de Polinesia que vivían en pequeñas tribus, en chozas de hierba, cerca del estuario de aguas frescas, de lo que es ahora San José. Sobrevivían simplemente de la caza y de la cosecha, y vivían casi desnudos hasta la llegada de los misioneros Jesuitas, que construyeron la Misión Estero de las Palmas de San José del Cabo Añuití, en 1730.

Como en numerosas conquistas en América del Norte, los misioneros no fueron bienvenidos entre los Pericúes, y la historia relata el asesinato violento de por lo menos uno de los misioneros españoles. La hostilidad de los Pericúes hacia los visitantes no era extraña si se considera que, a lo largo del tiempo, varias generaciones de la tribu fueron visitadas por piratas de regreso de sus viajes por el Atlántico. La leyenda dice que hace siglos, Cabo San Lucas era un paraíso para los piratas, entre ellos Thomas Cavendish. Según la leyenda, los piratas usaban el Arco como una especie de puesto de observación para vigilar los barcos en alta mar, y los que se establecieron ahí, se convirtieron en pescadores.

TRANSFORMACION TURISTICA

Hoy en día, los habitantes de la región son mucho más amistosos que los habitantes originales, los Pericúes. A lo largo del tiempo, misioneros, pescadores y viajeros se instalaron en Los Cabos, atraídos por sus excelentes sitios de pesca, sus paisajes maravillosos y su clima ideal. En los años 50, la reputación de este paraiso fue creciendo, y gente

San Jose was a small colonial town; and the East Cape was known mainly to avid windsurfers and fishermen. The area's reputation as the blue marlin capital of the world spawned a new interest in the "jewel of Baja" over time.The 1980s brought even more travelers new hotels sprouting around Cabo San Lucas, San Jose del Cabo and the 25-mile corridor in between.

The East Cape, which is comprised of towns such as Cabo Pulmo, La Ribera, Buenavista and Los Barriles, maintains its reputation as a sport fishing hotspot and is awakening to other forms of tourism, including diving, hiking and kayaking.

Today, the magical place where the desert meets the sea offers all the amenities of a world-class resort destination while at the same time preserving the natural wilderness of Baja. Six championship golf courses, fine luxury homes and top-quality spas as well as endless water sports, diving and surfing provide entertainment for luxury travelers rugged adventurers and everyone in between. More than anything, the Los Cabos experience is about a cool breeze across your face in the middle of the desert. It's looking down through your mask upon starfish and coral, and up at cacti and ospreys framed against the sky. "Los Cabos" may tell the story but, unlike a favorite children's book, all the enchanting places in these photos are real, and they're waiting to meet you.

como Bing Crosby, Jean Harlow y John Wayne se iban a Los Cabos en aviones privados, el único medio para llegar hasta aquí en esa época.

En los años 60 y 70, Cabo San Lucas era un pueblecito de pescadores con una planta de conservas de pescado; San Jose era una pequeña ciudad colonial; y Cabo del Este era esencialmente conocido por aficionados de windsurfing y pescadores. La reputación de la zona como capital mundial del marlín azul despertó a lo largo del tiempo un nuevo interés para la peninsula de Baja California. Los años 80 llevaron aún más viajeros a los nuevos hoteles de los alrededores de Cabo San Lucas, San Jose del Cabo y el corredor turístico que los separa.

Cabo del Este, que incluye pequeñas poblaciones como Cabo Pulmo, La Ribera, Buenavista y Los Barriles, conserva su reputación de zona de pesca deportiva y se está abriendo a otras formas de turismo, incluyendo buceo, excursiones a pie y kayak.

Hoy, es un lugar mágico donde el desierto se encuentra con el mar y ofrece todos los recursos de un destino turístico de clase mundial que conserva al mismo tiempo el aspecto salvaje y natural de Baja. Seis campos de golf profesional, casas de lujo y "spas" sofisticados, así como una lista interminable de deportes acuáticos, buceo y surfing, proporcionan actividades recreativas tanto a los viajeros exigentes como a los aficionados a la aventura. Más que nada, la experiencia de Los Cabos es como una brisa refrescante en tu piel en medio del desierto. Es admirar bajo el agua corales y estrellas de mar; levantar la mirada hacia los cáctus y observar águilas pescadoras surcando el cielo. "Los Cabos" cuenta una historia, pero contrario a los libros de cuentos de nuestra infancia, todos los lugares encantadores de esas fotos son reales y te están esperando.

"Las nubes pasan, la lluvia hace su labor
y todas las vidas fluyen hasta tomar su forma."

"The clouds pass, the rain does its work
and all life envolves to its final form."

I Ching

"Llegamos ahí casi por error.
Llegamos ahí casi como huyendo de la gente y sus histerias."

Fernando Vega Villasante

"We arrive there almost by mistake.
We arrive there almost as if fleeing from people and their hysterias."

"Las olas encrespadas se levantan y llegan a la playa moribundas cuando las aves en la tarde cantan."

Nestor Agundez Martínez

"The waves curl up, break and arrive at the beach, dying, the shore birds call out at the end of day."

"Aire del pensamiento
del estar encantado de la vida..."

"A most noble thought
is being enchanted with life..."

Efrain Huerta

"Flor de cardo, fina y alba, gala sin dueño ni olor..."

Nestor Agundez Martínez

"Thistle flower, delicate and at first light gala with neither master nor scent..."

"Conocer tu cuerpo que data de una historia grabada en tus montañas..."

Maru Ortega

"To know your form whish dates from a epoch enscribed on your rugged slopes..."

"Hasta el final de los tiempos la materia siempre se mantendrá joven, radiante, exuberante y recién nacida para aquellos que asi lo deseen."

"Until the end of time the subject will always remain young, radiant, exuberant and newly born for those who so desire it."

Teilhard de Chardin

"Los cactos, cual si fueran pensadores
en ese instante en que se ausenta el día
fueron vuelo a su lenta fantasía..."

Filemón C. Piñeda

"The cactus, like thinkers at day's end,
with thoughts that take wing slowly, ever so slowly..."

"Las nubes, las hermanas mayores de los sueños..." *"The clouds, older sisters of dreams..."*

Efrain Huerta

"El pájaro enmudece
la luz vuelve al tesoro de la noche."

Ernesto Lumbreras

"The bird becomes silent
the light iluminates the treasure of the night."

"Pensamiento que se escucha en la ola del ayer..." *"Thoughts which are heard in the wave of yesterday..."*

Maru Ortega

*"Si las ventanas de la percepción estuvieran limpias,
los humanos lo veríamos todo tal como es: infinito."*

*"If the windows of perception were clean,
humanity would see just as it is: infinite."*

William Blake

"¡El mar, el mar!	*"The sea, the sea!*
Dentro de mí lo siento.	*I feel it within me.*
Ya sólo de pensar	*Now just to think*
en él, tan mío,	*of it, as mine,*
tiene un sabor de sal mi pensamiento."	*brings to my thoughts the taste of salt."*

José Gorostiza

"El arte no transforma. Forma justamente." *"Art doesn't transform. It just plain forms."*

Roy Lichtenstein

"Regocijo sensual humano, el delfín lo ha heredado."

Maru Ortega

"Joy, sensuous, humanistic the dolphin's inherited characteristic."

"La vieron ya,
los picos se adelantan.
A uno y otro lado las cabezas
y como de puntillas se lanzan".

Dolores Castro

"Have you seen
the beaks protruding
first to one and then the other side of their heads
and as ballarines they launch themselves".

"Los ágiles camaleones del sueño
se estremecen en esta sombra pavorosa,
fácil quebradura en los pacientes trazos del tiempo..."

Niger Madrigal

"The nimble chameleon of the dream
quiver in that dreadful shadow
so fragil in the unburried passage of time..."

"Dos miradas se aproximan:
una viene del mundo cotidiano
y la otra surge del mundo interior..."

Alberto Blanco

"There are two ways of approaching something:
ones is from the daily world and the other
arises from the inner world..."

"Oiga la noche
en el vuelo inconfundible del silencio..."

Dante Salgado

"Listen to the night
the unmistakable flight of silence..."

"Perfumando la noche, el rocío ha despertado los cactos..."

"Perfuming the night, the dew has awakened the cactus..".

Jan Olsen

"En el torrente de lava
sumergí tu cuerpo en flor..."

Manuel Torre Iglesias

"In the flow of lava
I plunged your flowering body..."

"Quien sabe si todo ese sur
esté cortado en la piedra."

Javier Manríquez

"Who knows if all that to the south
might be carved in stone."

"Dedos descarnados que apuntaban acusadores a los antiguos moradores de los cielos..."

Fernando Vega Villasante

"Bony fingers that pointed accusingly at the ancient dwellers of the heavens..."

"De bullente materia ígnea y estelar, surgida de la violenta fractura del océano como grandes frutos de masa oscura..."

Raúl Antonio Cota

"Boiling material, fiery and sidereal thrown up from the violent rupture of the ocean as huge balls of dark matter..."

"En la sal esponjosa de los mares, se hicieron punta de acero..." *"In the foamy salt of the seas, they became spears points..."*

Bobby García

TELMEX
Ladatel
TALK MORE, PAY LESS
50¢USD min.
CALL HOME
01 800 Savings
TELMEX

"En tus ojos también hay peces..." *"Nautic scenes are reflected in your eyes..."*

Dante Salgado

"Era un caballo rojo, colorado, colorado
-como la sangre que corre cuando matan a un venado-
Era un caballo rojo con las patas manchadas de angustioso cobalto".

"It was a red horse, red,
-red as the blood that pours out when they kill a deer-
it was a red horse with cobalt hooves stained from anxiety".

Efrain Huerta

"Una casa vacía
una casa a la que vuelvo en la memoria..."

Marta Piña Zentella

"An empty house
a house to which I return in my memory..."

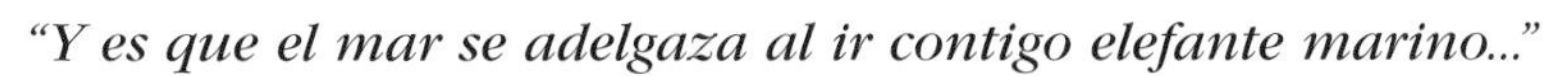

"Y es que el mar se adelgaza al ir contigo elefante marino..."

Raúl Antonio Cota

"And it is as if the sea adapts itself to go with you, elephant seal..."

Surf the Turf

"Los paisajes son las más hermosas pinturas que nos regala la naturaleza, sin peligro de que alguien las robe, pero si, de que las mejore o las destruya".

Nestor Agundez Martínez

"Landscapes are the most beautiful pictures which nature gives us and although not in danger of being stolen are susceptible to being improved or destroyed".

"Por lo que he entendido de esta tierra es uno de los mayores reinos".

Gerónimo Martín Palacios

"Fron what I have understood of this land it is one of the best kingdoms".

"En el verano, la ciudad muere todos los días. Hay cierta hora, hacia las tres de la tarde, en que el tiempo se queda detenido, sudando, y el pueblo deja dormir sus pensamientos".

Fernando Jordan

"During the summer the city dies every day. There is a certain hour, about three in the afternoon, when time comes to a halt, sweating, and the people let their thoughts sleep".

"Las veredas se borraron y las huellas se perdieron..." *"The paths disappear and the footprints are lost..."*

Bobby García

"Otro olor en la tierra.
Otro sabor de especias en la lengua.
Manjares sagrados
libaciones en honra tuya..."

Another scent of the land.
Another taste of spices on the tongue.
Sacred foods
libations in your honor..

Elsa Cross

*"Nuestro mundo va rodando como
una bolla perdida
en las ondas del Océano..."*

Filemón Piñeda

*"Our world rolls along like a ball lost
in the waves of the sea"...*

"Delfines mojados de jugar, azarosos sanguíneos van en par". *"Dolphins wet in their watery, lair confidently travel in pairs".*

Maru Ortega

"Con la luna entre la piernas
te encuentras en la arena desolada
y un rayo derrama luz sobre tu vientre..."

Esteban Beltrán Cota

"You find yourself on the desolate sand
with the moon casting its beams between
your legs and onto your belly..."

"La distancia entre los dos mares se alarga,
conservando la misma amplitud hasta donde la tierra terminada.
Se forma así el puño peninsular:
El finis terrae de la Baja California."

Fernando Jordan

"The distance between the two seas varies little,
maintaining the same extend until the lands ends.
Thus the head of the peninsula is formed:
Land's End of Baja California."

Portada: "El Arco", Cabo San Lucas

Pg 001: Finisterra, Cabo San Lucas
Land's End, Cabo San Lucas

Pg 013: Flor de viejitos
Flor de viejitos

Pg 007: Pitahaya Dulce
Sweet Pitahaya

Pg 014: Cerro el Candelero, Cañon de San Dionisio
El Candelero Hill, San Dionisio Canyon

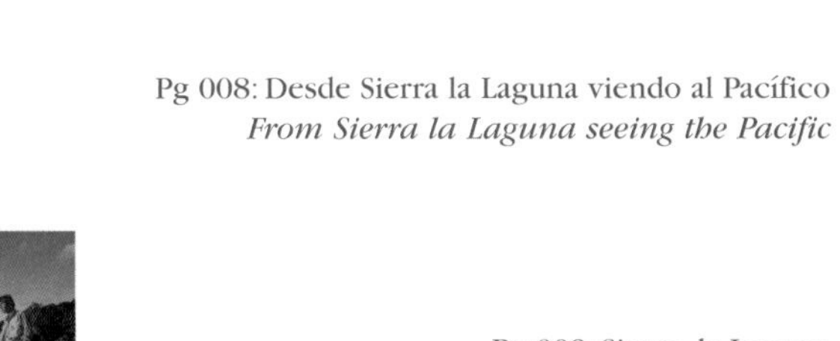

Pg 008: Desde Sierra la Laguna viendo al Pacífico
From Sierra la Laguna seeing the Pacific

Pg 015: El Picacho, Sierra la Laguna
El Picacho, Sierra la Laguna

Pg 009: Sierra la Laguna
Sierra la Laguna

Pg 016: Atardecer sudcaliforniano
Southcalifornian Sunset

Pg 010: Pelícanos, Cabo Pulmo
Pelicans, Cabo Pulmo

Pg 017: Amanecer en "El Arco" de Cabo San Lucas
Dawn in "the Arch" of Cabo San Lucas

Pg 011: Playa Los Cerritos, Todos Santos
Los Cerritos Beach, Todos Santos

Pg 018: Pelicano
Pelican

Pg 012: Flor de pitahaya agria
flower of Bitter pitahaya

Pg 019: Pelícanos blancos
White Pelicans

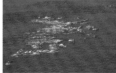

Pg 037: Pelícanos, Los Barriles
Pelicans, Los Barriles

Pg 038: Taste, Todos Santos
Taste, Todos Santos

Pg 039: Pichón pelícano
Pelican Pigeon

Pg 040: Campo de golf, Corredor Turístico
Golf course, Tourist Corridor

Pg 041: Cardon Pelon
Cardon Pelon

Pg 042: Taste, Todos Santos, Carrera de Caballos
Horse racing, Taste, Todos Santos

Pg 043: Taste, Todos Santos, Carrera de Caballos
Horse racing, Taste, Todos Santos

Pg 044: Taste, Todos Santos, Carrera de Caballos
Horse racing, Taste, Todos Santos

Pg 045: Taste, Todos Santos, Carrera de Caballos
Horse racing, Taste, Todos Santos

Pg 046: Ballena Gris Eschrihtios robustus
Gray Whale Eschrihtios robustus

Pg 047: Ballena Gris Eschrihtios robustus
Gray whale Eschrihtios robustus

Pg 048: Ballena Gris Eschrihtios robustus
Gray whale Eschrihtios robustus

Pg 049: Tortuga Caretta caretta
Turtle Caretta caretta

Pg 050: Amanecer en el Golfo de California
Dawn in Gulf of California

Pg 051: Campamento, Sierra la Laguna
Sierra la Laguna, Camp

Pg 052: Choya
Choya

Pg 053: Yuca
Yuca

Pg 054: Pescador, Cabo del Este
Fisherman, East Cape

Pg 055: Pez Marlin Rayado, Cabo del Este
Striped Marlin, East Cape

Pg 056: Cardon barbon
Hairbrush Cardon

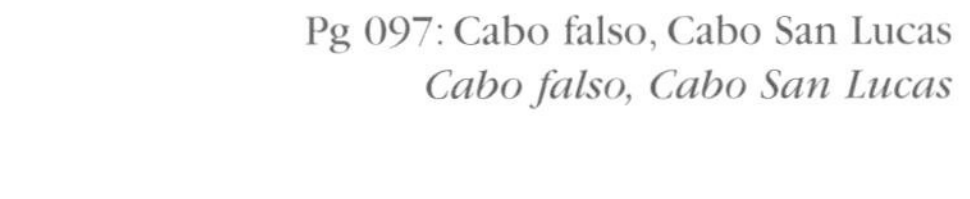

Bibliografía

Bibliography

Anaya, A. M., 1997, Memorial de las aguas, U. A. Tamaulipas, C. D. Tamaulipas, México

Bellinghausen, H., 1992, De una vez, Consejo Nacional para la Cultura y las Artes, México, D. F.

Blanco, A., 1993, Amanecer de los Sentidos, Antología Personal, Lecturas Mexicanas, México, D. F.

Castro, D., 1992, No es el Amor el Vuelo, Antología Poética, Lecturas Mexicanas, México, D. F.

Cervantes, F., 1987, Materia de Distintos Lais, Lecturas Mexicanas, México, D. F.

Chacón, C. P., 1994, Antología Poética de Filemón C. Piñeda, La Paz, B. C. S. México

Cota, E. B., 2000, Oscuridades, Ed. Calembur, La Paz, B. C. S. México

Cota, R. A., 2002, Los Incendios Solares, Imprenta La Paz, La Paz, B. C. S. México

Cross, E., 1994, Canto Malabar y Otros Poemas, Lecturas Mexicanas, México, D. F.

Francez, J. D., 1996, The Lost Treasures of Baja California, Black Forest Press, Chula Vista, California

Frost, R., 1963, Selected Poems of Robert Frost, P. Holt, Rinehart and Winston, New York, E. U.

I. Ching, 1990, en El Libro del Oráculo Chino (por Judica Cordiglia,) Fontana Fantástica, México, D. F.

Iglesias, M. T., 1980, Libro Sudcalifornia en la Leyenda y en la Historia, Federación Ed., Mexicana, México, D. F.

Lichtenstein, R., 1996, en, The Vein of Gold, (por Julia Cameron, p 143), Putnam, New York, E. U.

London, P., 1996, en, The Vein of Gold, (por Julia Cameron, p 136), Putnam, New York, E. U.

Lumbreras, E., 1991, Ordenes del Colibrí al Jardinero, Gobierno del Estado de B.C.S., La Paz, México

Manríquez, J., 1983, Cuaderno de San Antonio, UABC, La Paz, B.C.S. México

Martín Palacios, G. en del Rio, I., 1985, A la Diestra Mano de las Indias, Gobierno del Estado de B.C.S., La Paz, México

Ortega Maru, 1999, Folleto, La Paz, B.C.S. México

Ortega Romero, F.A., 1990, Pervivencias, Gobierno del Estado de B.C.S., La Paz, México

Olson, J., 1990, By the Wind, Hunter Star Pub., Seattle, WA, E. U.

Salgado, D., 2003, El Jardín de las Miradas, Ed. Praxis, La Paz, B.C.S. México

Stinglhamber, B. M de, 2001, Arte Sacro en Baja California Sur siglos XVII-XIX, INAH, México, D. F.

Teilhard de Chardin, P., 1959, The Future of Man, Harper and Row, New York, E.U.

Varela, L., 2002, Las Razones del Múrice, E. Praxis, La Paz, B.C.S. México

Vega Villasante, F., 1996, Los Dioses del Desierto, Fondo Ed. Tierra Adentro, Chimalistac, D.F. México

Zentella, M. P., 2003, Encallar la Luz, Ed. Praxis, La Paz, B.C.S. México

128
Las Pocitas
Los Islotes
Isla Partida
Isla Espiritu Santo
Mar de Cortez
Tecolote
Balandra
Punta Coyote
Pichilingue
El Coyote
Bahía de
La Paz
Mejia
El Rosario
Las Cruces
Isla Cerralvo
La Paz
El Sargento
Los Encinos
Bahía de
la Ventana
San Pedro
Los Planes
Punta Arena
Ensenada de los Muertos
El Triunfo
San Antonio
El Cardonal
Océano Pacífico
SIERRA
LA LAGUNA
San Bartolo
Punta Pescadero
Los Barriles
Buenavista
Todos Santos
San Dionisio
El Potrerito
La Ribera
Punta Colorada
Pescadero
Santa Rita
Los Cerritos
Santiago
Rancho Nuevo
Cabo Pulmo
Miraflores
Los Frailes
Palo de Escopeta
Estados Unidos de
America
Boca de la Vinorama
San José el Viejo
Rancho Migriño
México
B. C. S.
Océano Pacífico
Punta Gorda
San José del
Cabo
Bahía
Santa Maria
Cabo San Lucas
Baja California Sur (B. C. S.)